CHAPLEAU 2014

Catalogage avant publication de Bibliothèque et Archives
nationales du Québec et Bibliothèque et Archives Canada

Chapleau, Serge, 1945-
L'année Chapleau 2014
ISSN 1202-8495
ISBN 978-2-89705-283-6
1. Caricatures et dessins humoristiques - Canada. 2. Canada -
Politique et gouvernement - 2006-   - Caricatures et dessins
humoristiques.
3. Québec (Province) - Politique et gouvernement - 2014-
- Caricatures et dessins humoristiques. I. Titre.
NC1449.C45A4   741.5'971   C95-300755-3

Présidente Caroline Jamet
Directeur de l'édition Éric Fourlanty
Directrice de la commercialisation Sandrine Donkers
Responsable, gestion de la production Carla Menza
Communications Marie-Pierre Hamel

Éditeur délégué Yves Bellefleur
Conception graphique et montage Célia Provencher-Galarneau
Correction d'épreuves Michèle Jean

L'éditeur bénéficie du soutien de la Société de développement
des entreprises culturelles du Québec (SODEC) pour son
programme d'édition et pour ses activités de promotion.

L'éditeur remercie le gouvernement du Québec de l'aide
financière accordée à l'édition de cet ouvrage par l'entremise
du Programme de crédit d'impôt pour l'édition de livres,
administré par la SODEC.

Nous reconnaissons l'aide financière du gouvernement du
Canada par l'entremise du Fonds du livre du Canada (FLC).

Nous remercions le Conseil des arts du Canada de l'aide
accordée à notre programme de publication.

LES ÉDITIONS **LA PRESSE**
Les Éditions La Presse
7, rue Saint-Jacques
Montréal (Québec)
H2Y 1K9

CHAPLEAU 2014

LES ÉDITIONS **LA PRESSE**

UN MEILLEUR SYSTÈME DE SANTÉ COMMENCE PAR
"DES ESPRITS SAINS DANS DES CORPS SAINS"

Lucien Bouchard s'associe à la Fondation Jasmin Roy
qui encourage les jeunes à dénoncer leurs agresseurs.

LOI 99 :
LE GOUVERNEMENT HARPER RAVIVE LE DÉBAT CONSTITUTIONNEL

EST-CE UN OISEAU?

EST-CE UN AVION?

MONTRÉAL A UN NOUVEAU MAIRE

RICHARD BERGERON ANNONCE SON DÉPART DE LA VIE POLITIQUE

LE FILTRE CODERRE

Lors des dernières élections, Denis Coderre
soumettait ses candidats à un filtre anticorruption.

L'écoute électronique des conversations de Jocelyn Dupuis...

Rob Ford bouscule une conseillère dans la salle du conseil municipal.

LES MAIRES SE PRÉPARENT

À LEUR PREMIÈRE RENCONTRE

Une fissure importante est découverte sur une des poutres principales du pont Champlain.

Bernard Drainville se réjouit de l'appui des Québécois à la Charte des valeurs.

...ET EN PLUS DE TOUT ÇA, L'HIVER QUI ARRIVE ET MES PNEUS D'HIVER QUI NE SONT PAS POSÉS !

PÉNURIE DE RITALIN EN VUE

LES GAFFES DE JUSTIN LAGAFFE

MERCI À FRANQUIN

FRANÇOIS LEGAULT PRÉSENTE SES IDÉES POUR LE QUÉBEC

AVANT

APRÈS

MARCEAU (LE MINISTRE) PRÉPARE LA PRÉSENTATION DE SON BUDGET

LA MISE À JOUR BUDGÉTAIRE
DE MARCEAU (LE MINISTRE)

Rions un peu avec RÉGIS ET DENIS

LE POLICIER QUI A MENACÉ "D'ATTACHER À UN POTEAU PENDANT UNE HEURE" UN ITINÉRANT EST-IL ALLÉ TROP LOIN?
QU'EN PENSE L'AGENT 728?

L'or noir au secours du Québec

La province doit exploiter son pétrole, plaident les auteurs d'un manifeste multipartite

Les aventures de Robin des Races

«Les employés de la fonction publique qui refuseront de ranger au placard leurs symboles religieux n'auront qu'à s'installer dans un pays où ce sera toléré», dit Yves Michaud.

PREMIÈRE SEMAINE DE LA COMMISSION SUR LA CHARTE

COUILLARD SORT SON ARME SECRÈTE

Le ministre Couillard assure que le crucifix restera dans le Salon bleu de l'Assemblée nationale.

HOLLANDE EXIGE LE RESPECT DE SA VIE PRIVÉE...

STEPHEN HARPER S'ADRESSE À LA KNESSET

L'HÉRITAGE DE GÉRALD TREMBLAY

La Dernière Cène
Juan De Juanes (1562)

SELON UNE SOURCE DE L'UPAC, GÉRALD TREMBLAY "JOUAIT À L'AUTRUCHE"

DES ÉLECTIONS POUR BIENTÔT?

QUÉBEC SONGE À FAIRE PAYER LES CHAMBRES AU CHUM

Me DENIS GALLANT, PREMIER INSPECTEUR GÉNÉRAL DE MONTRÉAL

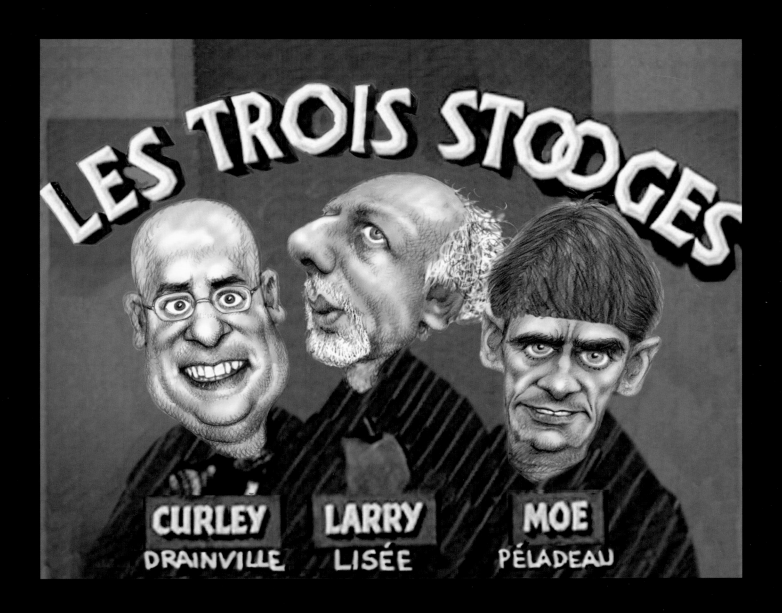

SOCHI 2014

DÉPART

Ukraine 2014

CRIMÉE

SOUVENIRS DE SOTCHI

VLADIMIR POUTINE

A- SE BAT CONTRE UN OURS

B- DONNE L'ACCOLADE À MARCEL AUBUT

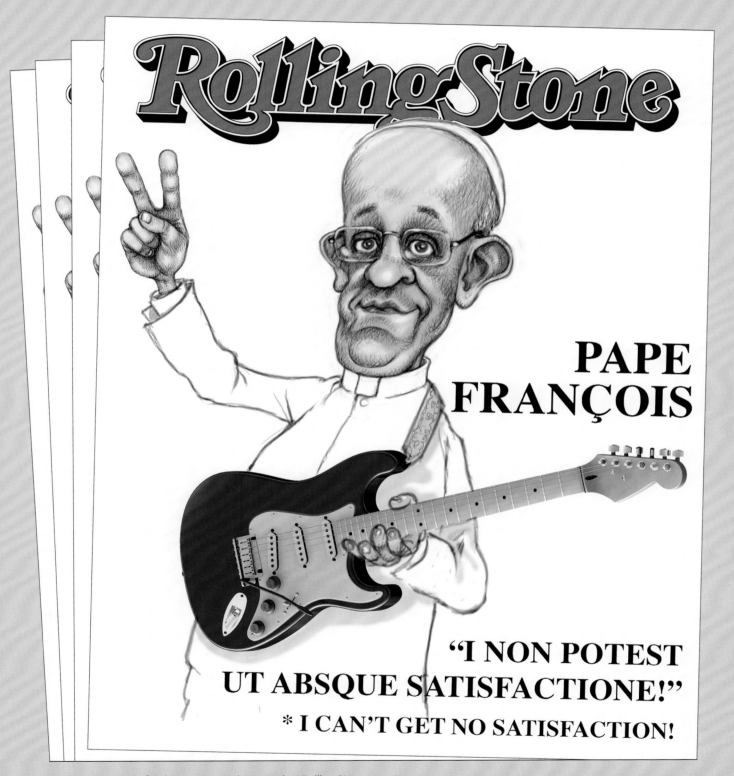

Le pape François fait la couverture du magazine *Rolling Stone*...

EN ROUTE VERS DES ÉLECTIONS...

La production mondiale
de bananes menacée...

ÉLECTIONS 2014:
LA GUERRE DES AFFICHES

ÉCONOMIE: LES SOLUTIONS DE NOS CHEFS

EN NE VENDANT PAS SES ACTIONS, PKP SE GARDE LA POSSIBILITÉ DE RETOURNER À QUÉBECOR

RÉGIS ET DENIS ASSISTENT
À LA CONFÉRENCE DE HILLARY CLINTON
Y'ÉTAIT TEMPS QUE ÇA FINISSE. UN PEU PLUS ON MANQUAIT LA GAME!

L'hiver qui n'en finit plus...

N'OUBLIE PAS QUI EST L'ENNEMI

HUNGER GAMES
L'EMBARRASSEMENT

... ET 115 MILLIONS COUPÉS À RADIO-CANADA

Mars 2012

Avril 2014

ENCORE DES COUPES À RADIO-CANADA...

Juin 2014

POLITIQUE QUÉBÉCOISE ET HISTOIRE DE L'ART

5 MARS 2014:
LANCEMENT DE LA
CAMPAGNE ÉLECTORALE

EUGÈNE DELACROIX
LA LIBERTÉ GUIDANT LE PEUPLE
(1830)

3 MAI 2014:
POST-MORTEM DE LA
CAMPAGNE ÉLECTORALE
DU PQ À LAVAL

FRANCISCO DE GOYA
TRES DE MAYO
(1814)

QU'EN EST-IL D'ED BURKHARDT?

Lac-Mégantic : le propriétaire de la Montreal Maine and Atlantic s'en tire sans accusation criminelle.

Mario Beaulieu devient chef du Bloc Québécois.

UN AUTRE DÉPUTÉ QUITTE LE BLOC: RÉACTION DE MARIO BEAULIEU

À QUOI PENSE MARC-YVAN CÔTÉ?

Quelques jours après l'évasion de trois prisonniers en hélicoptère...

JULIE BOULET DEVANT LA COMMISSION CHARBONNEAU

AINSI QUE NATHALIE NORMANDEAU

PARTI LIBÉRAL MAJORITAIRE

**CABINET COUILLARD:
SAM HAMAD
DEMEURE MINISTRE!**

au nom de tous les caricaturistes, merci M. Couillard!

**LE NOUVEAU MINISTRE DES FINANCES, CARLOS LEITAO,
PRÉPARE SON PREMIER BUDGET:**

ÇA SENT LA COUPE !

LISÉE NOMME BOISCLAIR DANS LE GRAND NORD

RÉFÉRENDUM DANS L'EST DE L'UKRAINE
VICTOIRE DU OUI À 90%

BERNARD DRAINVILLE EN ROUTE VERS UNE AUTRE ENTREVUE

DRAINVILLE INVITE LES QUÉBÉCOIS À INVESTIR LE PQ

ALAIN GRAVEL: LE DUR MÉTIER DE JOURNALISTE D'ENQUÊTE

RÉACTION DU MINISTRE DES FINANCES, CARLOS LEITAO, À LA BAISSE DES REVENUS DES CASINOS

Thérèse Casgrain aux oubliettes

Le Prix du bénévolat, baptisé en son honneur, devient discrètement le Prix du premier ministre

STEVEN BLANEY SIMPLIFIE LES RÈGLES SUR LES ARMES À FEU

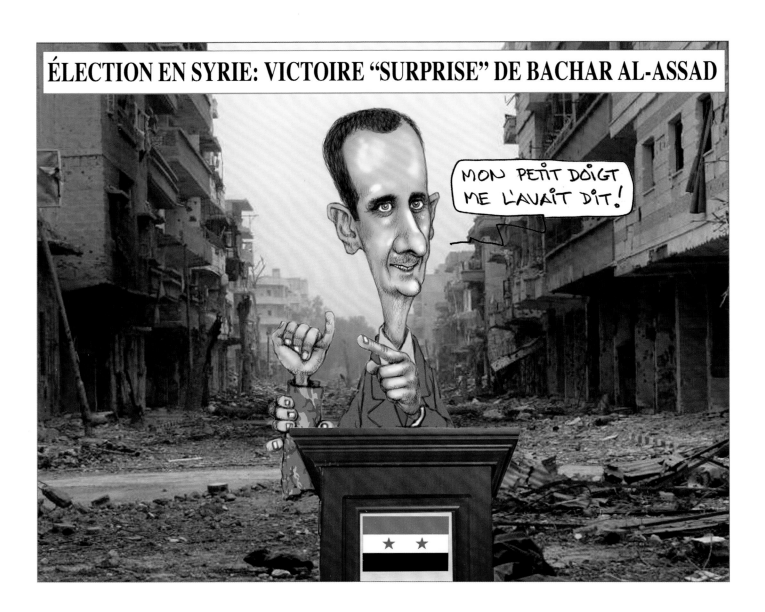

PLUS ÇA CHANGE...

SERGE LOSIQUE CONTEMPLANT L'AVENIR
DU FESTIVAL DES FILMS DU MONDE

PUBLIÉE EN 2004

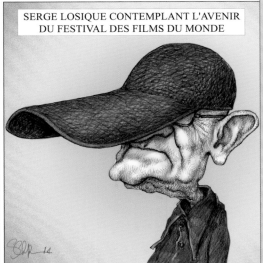

SERGE LOSIQUE CONTEMPLANT L'AVENIR
DU FESTIVAL DES FILMS DU MONDE

AUJOURD'HUI

38ᵉ FESTIVAL DES FILMS DU MONDE, TOUJOURS VIVANT!

LE Dr YVES BOLDUC
DANS
STARDOC

1500 PATIENTS VEULENT RETROUVER LEUR MÉDECIN DE FAMILLE

Philippe Couillard défend la ministre Lise Thériault
dans l'affaire des évasions par hélicoptère...

P. K. Subban signe un contrat de 72 millions.

COMPRESSIONS: COUILLARD LANCE DES BOULETS D'ESSAI

L'INDUSTRIE DU GOLF EN DÉCLIN

POUTINE S'ATTAQUE AU PORC CANADIEN

La Russie boycotte le porc canadien.

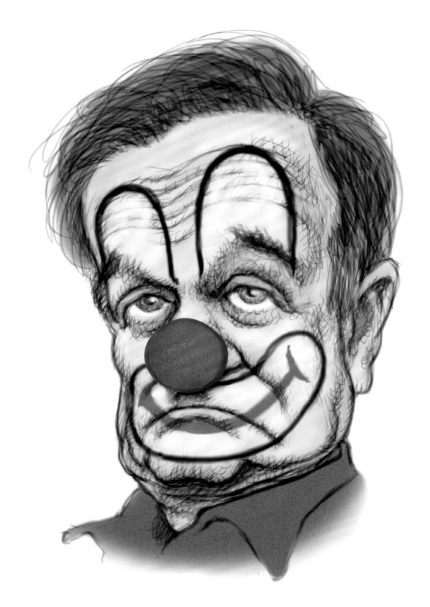

ROBIN WILLIAMS

BERNARD DRAINVILLE REVIENT "CRINQUÉ" D'UN VOYAGE EN ÉCOSSE

LES CANDIDATS À LA DIRECTION DU PQ COMMENTENT LES DÉCLARATIONS DE AUSSANT

**TONY ACCURSO
AVANT LA
COMMISSION
CHARBONNEAU**

**PREMIÈRE JOURNÉE
DE TONY ACCURSO
À LA COMMISION
CHARBONNEAU**

FIN DU TÉMOIGNAGE DE TONY ACCURSO

Une chronique de Denise Bombardier souligne la «beauté virile» de Tony Accurso.

L'ANCIEN MAIRE DE LAVAL VOULAIT RÉCUPÉRER DES DOCUMENTS À L'HÔTEL DE VILLE
CHAUFFERIE
CHAUFFAGE VAILLANCOURT
TOC! TOC!
CHAUFFAGE VAILLANCOURT

Trop de gens croient que le métier de caricaturiste
en est un de contemplation et de solitude. On imagine
souvent l'artiste seul, en train de réfléchir derrière
sa planche à dessin. Rien n'est plus faux.

Il s'agit d'un travail de terrain prenant où l'action,
l'émotion et le *jet-set* sont constamment au rendez-vous.

Je vous invite donc, au gré des prochaines pages,
à découvrir les facettes les plus insoupçonnées
de mon quotidien.

J'ai toujours éprouvé beaucoup de déférence à l'égard de mes sujets. Je n'hésite donc jamais à parcourir des milliers de kilomètres pour leur présenter les croquis dont ils vont faire l'objet. Car lorsqu'on est caricaturé dans un quotidien, il n'y a rien de pire que de l'apprendre dans le journal.

On ne peut pas dessiner quelqu'un en ne le voyant qu'une seule fois. Pour saisir sa personnalité, son essence, il faut le côtoyer. Ce pour quoi j'insiste pour m'immiscer dans l'intimité de ceux dont je m'apprête à tirer le portrait. Comme ici, avec ces joyeux drilles du monde de la construction.

Le métier de caricaturiste en est un de précision. Chaque dessin doit être en tout point fidèle à la réalité. Ainsi, avant même de donner le moindre coup de crayon, je prends toujours le temps de mesurer chacun de mes sujets. Comme disait l'autre : « rigueur, rigueur, rigueur ».

Qui dit caricature dit aventure. Pour trouver mon inspiration, je dois chaque jour explorer de nouveaux endroits. Des endroits toujours plus exotiques, toujours plus grisants, toujours plus dangereux...

Le bien-être de l'humanité m'importe. Je me fais donc un point d'honneur d'expédier dans les endroits plus reclus du monde des exemplaires non vendus de mes recueils. Quel bonheur de voir tous ces visages guillerets s'illuminer à la vue de mes dessins !

Être caricaturiste apporte certes gloire, prestige et reconnaissance. Mais en contrepartie, la vie privée en prend pour son rhume. Les paparazzis sont sans cesse à vos trousses. Comme en témoigne ce cliché où l'un d'eux m'a surpris avec madame Marois au retour de la messe du dimanche.

Pour pouvoir témoigner de ce qui se passe dans
le monde, le caricaturiste se doit d'être près de
l'action. Quitte à se placer dans une position délicate.
Comme cette fois où j'ai dû consoler Michelle Obama
dont le mari n'avait d'yeux que pour la première
ministre danoise.

Je remercie Nicolas Forget pour les textes d'accompagnement des photos de la section finale « photomontage ».

Serge Chapleau

Ce symbole indique que vous trouverez une version animée de la caricature à l'adresse suivante :

www.lapresse.ca/videos/chapleau-en-mouvement/